AI가 생각하는

2040

어떤 진로를 선택해야 하는가

이한별 지음

서문

이 책은 국내 초등, 중등 진로 수업 중 생성형 AI를 활용해 에세이 쓰기 수업의 결과물입니다.

우리는 올바르게 생성형 AI를 활용해 학생들이 다양한 창작물을 만들어내기를 희망합니다.

아이들은 이 책을 통해 자신들 만의 상상의 세계와 꿈을 여러가지 형태로 만들어냈습니다. 많은 격려와 칭찬 부탁드립니다.

이제, 우리들의 10년 후, 20년 후, 30년 후로 떠나볼까요?

아이들의 10년, 20년, 30년 후를 응원하겠습니다!

작가의 말

 이 책은 제가 현재도 계속해서 하고 있는 고민을 담은 책입니다. 평소에 알고 싶었던 부분부터 생각조차 하지 못했던 부분까지 담아내기 위해 최대의 노력을 기울였습니다.
 제 노력을 통해 같은 시대를 살아가는 학생들의 고민이 조금이나마 해소되었으면 하는 마음입니다.

목차

1
2040

AI가 분석한 2040년의 시대 상황
시대 변화 양상에 따른 직업 변화

빠르게 변화하는 오늘날의 사회와 환경, 계속해서 도입되는 새로운 기술, 지속적으로 발전해 나가는 인공지능, 이와 같은 변화로 인해 많은 직업이 사라지고 대체될 위기에 처해있습니다. 또한, 여러 직업이 생겨날 것입니다. 앞으로도 많은 시간을 살아갈 학생들에게 가장 큰 문제점은 진로 선택일 것입니다.

지금의 학생들이 진로를 선택하는데 고려해야 할 2040년의 직업은 지금과는 많은 차이가 있을 것입니다.

저는 이 글을 통해 진로를 찾기 위해 고민하는 학생들에게 도움을 주기 위해 예상되는 2040년의 사회 상황과 연계해 일자리에 대해 예측한 결과를 인공지능의 답변과 함께 소개하고, 이와 같은 사회적 변화 속에서 나아가는 학생들이 진로를 선택하는 데에 도움이 되는 일들을 담아보고자 합니다.

2040년의 사회는 현재와 많은 차이가 있을 것입니다. 직업의 기본적 토대가 되는 사회 상황이 다르기에 직업별 전망에도 여러 차이점이 존재할 것입니다.

현재 가장 주목받는 기술은 인공지능 기술이며, 이미 인공지능이 인간의 일자리를 위협한다는 문제는 여러 차례 언급되었습니다.

이와 같이 직업 변화의 대표적인 이유는 인공지능 산업의 발달이지만, 이외에도 여러 문제가 있습니다.

2040년에는 현재부터 불거지는 사회적 문제가 지속될 가능성이 큽니다. 2040년의 큰 사회적 문제는 저출산과 의료 산업 발전으로 인한 인구 구조 변화, 교통과 시설의 발달로 이루어지는 도시화, 인공지능 등의 기술 발전이 있을 것입니다.

2040년에는 저출산과 인간의 수명 증가로 고령화가 심화한 상태일 것입니다.

한국경제연구원에서는 10년간 한국의 고령인구 증가 속도가 OECD 1위라는 사실을 밝혔습니다.

한국의 고령화 속도는 매년 29만 명씩 증가하고 있습니다. OECD 고령화 평균은 2.6%이며, 한국의 고령화 속도는 이의 1.7배에 달합니다.

또한, 한국경제연구원에서는 20년 후 한국의 고령인구 비율이 15.7%가 될 것으로 예측하고 있습니다. 그러므로 우리는 이러한 사회에 대비하여 진로를 결정해야만 합니다. 고령화는 큰 경제적 문제를 발생시킬 뿐만 아니라, 의료, 연금 문제, 노동 시장 등에 큰 영향을 미칠 것입니다.

고령화로 인해 고려해야 할 문제가 늘어나기에 많은 직업이 생겨날 것입니다. 건강 관리 및 노인 복지 서비스 분야의 직업이 성장할 것입니다. 고령인구의 비율이 늘어남에 따라 건강 관리와 재활 관련 직업이 성장할 것이며, 이에 관련된 직업에는 의사, 간호사, 물리 치료사, 노인 복지 전문가 등이 있습니다.

또한, 한국은 고령화뿐만 아니라 노인 빈곤율도 매우 높습니다. 높은 노인 빈곤율은 정년 연장을 초래할 것입니다. 이에 대비하여 오랜 기간을 안정적으로 종사할 수 있는 직업군이 살아남을 것입니다.

AI는 이 문제에 대해 전문적인 직업이 오래 살아남을 것으로 예측했습니다. 따라서 경험이 중시되는 교수, 연구원, 변호사, 컨설턴트, 의사, 심리학자, 사회복지사 등이 유지될 것입니다.

이 직업들은 현재에도 계속해서 성장해가고 있는 직업입니다.
의사와 간호사와 같이 의료계에 종사하는 직업군들은 기술의 발전으로 사라질 것으로 예측하는 사람도 많지만, 인구 고령화에 따라 서비스의 주요 소비자층인 노년층은 기계의 이용을 꺼리는 사람들이 많기에 현재 기계 사용에 익숙한 사람들이 노년층이 되기 전까지는 의료계에 인간이 계속해서 종사해야 할 것이라고 생각합니다.

고령화로 인해 사람의 도움이 필요한 사람들이 늘어나므로 물리 치료사와 노인 복지 전문가와 같은 요양 보호사, 간병인과 같은 직업도 늘어날 것입니다.

　그러나 자동화 시스템의 도입으로 인해 현재 해당 직업 종사자들이 하는 일과는 많은 차이가 있을 것입니다. 사람만이 하던 일을 기계와 협력해서 하게 될 것이므로, 사람이 직접적으로 하는 일이 줄어들 것이기 때문입니다.

　이와 반대로, 사라지고 대체될 직업에는 학생 교육, 육체노동 등이 있습니다. 고령화가 심화할수록 학생들의 수는 줄어갈 것입니다. 이미 많은 학교가 사라져가고 있으며 머지 않은 미래에는 주요 학교를 제외한 많은 학교가 사라지게 될 것입니다. 또한, 기술의 발전으로 이미 많은 학생들이 인터넷과 인공지능을 활용한 교육을 받고 있으며, 비대면 수업도 빈번하게 활용되고 있습니다.

　그리하여, 학생들을 직접적으로 가르치는 학교 교사의 수가 줄어갈 것이며, 주 고객층을 어린이로 하는 장난감 회사나 육아용품 회사의 수가 줄어갈 것입니다. 또한, 고령화로 인해 젊은 노동력의 공급이 줄어 육체노동 관련 직종에 종사하는 사람이 줄어갈 것이며, 기술의 발전으로 현재 인간이 하는 일이 기계로 대체될 가능성이 큽니다.

교통과 통신이 발달한 지금, 이미 도시화는 급격히 심화하고 있습니다. 교통은 지속적으로 발전할 것이며, 교통이 많이 발달한 곳이 주요 지역이 될 것입니다. 이미 교통이 발달한 장소를 중심으로 도시가 발전하고 있습니다.

　머지않은 미래에는 식량난으로 인해 한정된 도시 환경에서의 식량 생산을 위한 직업들이 필요할 것입니다. 이미 식량난은 여러 방면에서 예측되며, 지속적인 발달로 인해 농업이 가능한 땅이 줄어가고 있습니다.

　또한, 미래에는 지금보다도 더 많은 편리성을 요구할 것입니다. 그로 인해 효율적이고 편리한 도시의 운영을 위해 스마트 시티 기술자, 도시 데이터 분석가와 같은 직업이 늘어날 것입니다.

　심화한 도시화로 인해 지금보다도 인터넷에 의존하는 생활을 하게 될 것입니다. 인터넷을 중심으로 한 생활은 편리하지만, 데이터 유출이나 해킹 등의 위험에 처해있습니다. 또한, 편리성 추구로 인해 인터넷에 개인정보를 모두 보관하게 될 것입니다. 이를 보완하기 위해 시스템의 안전 확보와 사이버 위협으로부터의 보호를 위한 직업들이 증가할 것입니다.

또한, 미래에는 도시의 지방 흡수가 가속화되어 지방의 특색을 찾아보기 어려울 것입니다. 때때로 지방의 특색은 발전에 방해물이 되기도 하지만, 우리나라의 특성이 있는 우리 문화의 한 종류이며, 역사의 일부분이기도 합니다.

따라서 지방의 도시화가 가속화되더라도 지방의 특색이 완전히 잊혀서는 안 됩니다. 그러므로 지방의 특색을 유지할 수 있는 전통 기술자나 지방의 대표 음식을 판매하는 음식점, 지역 박물관 관리자 등이 중시될 것입니다.

도시화는 인구 밀집도를 높이고, 편리성을 추구합니다. 인공지능의 발전은 다가올 도시화를 가속할 것이고, 보다 더 효율적으로 만듭니다. 도시화의 주요 원인은 여러 가지가 있습니다. 도시에 모여있는 일자리와 경제적 기회, 발전된 교육 및 의료 서비스, 사회적 인프라 등이 도시화의 주요 원인입니다.

2040년에는 현재 발전하고 있는 인공지능의 지속적인 발전으로 대체되고 사라질 직업이 많아질 것입니다. 그러나, 인공지능이 보완할 수 없는 단점이나, 대체될 수 없는 방면에서 생겨날 직업도 많을 것입니다.

가장 먼저, 인공지능을 만들어낸 것은 인간이기에, 인공지능만이 만들어내는 오류를 수정하고, 개선해 나가는 존재도 인간일 것입니다.

 또, 인공지능의 지속적인 발전과 문제점 제거를 위해 인공지능의 학습을 인간이 담당해야 할 것입니다. 그로 인해 생겨날 직업은 인공지능 트레이너, 인공지능 윤리학자, 로봇 공학자, 데이터 과학자, 가상 현실 전문가가 있습니다. 앞서 말했듯이, 전문적인 지식이 있어야 하는 직업들은 사라지기보다는 AI와 함께하는 방향으로 발전하여 유지될 것입니다.

 반대로, 인공지능이 인간의 일을 대신하게 되어 사라질 직업은 대부분 인간의 고유 특성이 필요하지 않은 직업들이 있습니다. 효율적이고 빠르게 물건을 생산하기 위해 물품 생산에는 기계 사용이 주가 될 것입니다. 이에 따라, 비교적 긴 시간이 소요되는 수공예 물품 생산직과 물건 판매가 비효율적인 소규모 소매업자와 같은 직업들이 사라질 것이며, 자율주행 자동차의 발전으로 운전과 운송과 관련된 직업이 줄 것입니다.

 계속해서 발전하고 변화하는 사회에서 진로를 선택하는 것은 쉬운 일이 아닙니다. 선택할 수 없는 직업과 선택할 수 있는 직업을 구분하고, 이를 통해 미래에 도움이 되는 진로를 택해야 합니다.

다음으로는 2040년에 진로를 선택하는 학생들이 직면할 수 있는 문제점과 해결 방안을 구체적으로 살펴보겠습니다.

먼저, 문제점으로는 불확실한 미래 직업 환경이 가장 대표적이며 이는 제가 다룬 주제이기도 합니다. 기술의 지속적인 발전과 사회의 변화로 인해 새로운 직업이 등장할 것이고, 원래 존재하던 기존 직업이 사라질 가능성이 높아질 것입니다. 이에 대한 정보 부족 및 혼란 또한 큰 문제가 됩니다. 다양한 직업에 대한 정보와 바뀐 사회에 맞는 진로 선택 방법에 대한 지침이 현재보다 상대적으로 부족할 수 있습니다.

 현존하는 진로 선택 교육의 대부분은 심하게 변화하지 않은 사회의 모습을 배경으로 한 진로일 확률이 높으며, 설령 변화한 환경의 진로에 대한 교육이더라도 구체적인 변경 사항을 안내하는 교육은 적습니다.

 이를 위해 학교에서 진행하는 진로 교육 프로그램을 활용하고, 이에 의존하기보다는 도서와 인터넷을 통해 사회의 변화 양상을 학습하여 적용하는 자세가 중요합니다.

세 번째 문제는 진로 선택에 관한 학생들의 관심이 줄어든다는 이유로 학생 본인의 적성과 관심 분야를 파악하는 것이 어렵다는 것입니다.

진로에 대해 자세히 생각해 보는 연령대가 점점 늦춰지고 있으며, 때문에 자신이 무엇을 좋아하고, 무엇을 잘하는지에 대해 지식이 부족할 수 있습니다. 따라서 다양한 활동을 통해 자신이 잘하는 일과 관심 있는 분야를 발견하도록 해야 합니다.

마지막으로, 사회적 압력과 경쟁이 심각한 문제가 됩니다, 현재도 계속해서 강조되는 학생들의 학업이 진로에 대해 고민해 볼 시간을 빼앗습니다.

또한, 직업에 대한 사회적 압력과 경쟁이 높아져 본인이 스스로 무엇을 하고 싶은지를 고려하지 않고 직업을 선택하는 경우가 늘어나기도 합니다.

스스로 찾는 것에 연연하기보다는 학교, 가정, 친구들과 소통하며 자신의 가치관과 목표를 생각해 보는 것이 이러한 문제에 도움이 됩니다.

그렇다면, 자라나는 학생들을 위한 환경을 생성해야 하는 어른들의 입장에서는 어떠한 노력을 해야 할까요?

 가장 먼저, 진로 교육을 강화해야 합니다. 초등학생부터 성인이 되기 직전이 고등학생뿐만 아니라 진로를 선택하지 못하고 방황하는 사회 초년생들까지 최대한 장기간에 걸친 진로 교육 프로그램을 제공해야 합니다. 예를 들어, 진로 체험 행사, 진로 연계 교육, 창업 경진 대회 등을 자주 진행하여 학생들이 직업을 탐색하고 경험할 기회를 증진해야 합니다. 또, 진로 정보망을 개편하여 구체적이고 정확한 적절한 정보를 얻을 수 있도록 해야 합니다.

2

미래 일기

꿈을 담은 일기

다음 장에는 저의 미래 일기를 소개하겠습니다. 이 미래 일기는 제 나이와 장래희망만을 가지고 AI를 통해 작성한 것입니다.

2040년 9월 17일

 나의 새 사무실은 작지만, 그 안에는 법률 서적과 컴퓨터, 그리고 나만의 작은 식물이 놓여져 있다. 나는 변리사로서 사람들의 문제를 해결하고, 고객들에게 법적인 조언을 제공한다.

 오늘은 특히 중요한 사건이 있다. 내가 대표하는 고객의 소송이 임박했기 때문이다. 나는 증거를 검토하고, 변론을 준비하며, 법정에서 최선을 다해 고객을 지지한다. 이런 순간들이 나를 변리사로서 더욱 강하게 만든다. 점심 시간에는 동료 변리사들과 함께 음식을 나누며, 최근 법률 동향에 대해 이야기한다. 나는 항상 배우고 성장하기 위해 노력한다.

 오후에는 사무실에서 더 많은 사건들을 처리한다. 고객들이 나에게 신뢰를 주고, 그들의 이익을 위해 싸우는 것이 나의 사명이다. 저녁에는 집으로 돌아가 가족과 함께 저녁 식사를 한다. 나는 변리사로서의 업무와 가정 생활을 균형 있게 유지하려고 노력한다.

 이렇게 매일 변리사로서의 삶을 살면서, 나는 사람들을 위해 노력하고, 정의를 위해 싸우며, 법과 공정함을 지키기 위해 노력한다.

2028년 3월 2일

오늘은 드디어 대학에 입학하는 날이다. 아침 일찍 일어나 설렘 반 긴장 반으로 서둘러 준비를 마치고 집을 나섰다.

캠퍼스에 도착하니 신입생 오리엔테이션이 시작되었다. 학과 선배들이 환영 인사를 건네며 캠퍼스 투어를 안내해주었다. 캠퍼스는 생각보다 훨씬 넓고, 건물 하나하나가 고풍스러운 멋을 자랑하고 있었다.

오전에는 학과 사무실을 방문해 수강 신청과 학사 일정에 대해 설명을 들었다. 법학과 첫 수업은 법학 개론이었다. 강의실에 들어가니 많은 학생들이 자리를 잡고 있었다. 교수님이 입장하시자 강의실이 조용해졌다. 교수님은 인상 깊은 목소리로 자기소개를 하시고, 법학의 기본 개념과 앞으로 배울 것들에 대해 개괄적으로 설명해주셨다.

법률의 역사와 법의 중요성에 대해 듣다 보니, 내가 왜 이 길을 선택했는지 다시금 떠올리게 되었다. 교수님의 강의는 기대 이상으로 흥미로웠고, 법에 대한 열정이 더욱 커졌다.

점심시간에는 새로 사귄 친구들과 함께 학생 식당에서 식사를 했다. 다양한 배경을 가진 친구들이 모여 서로의 이야기를 나누는 시간이 참 즐거웠다. 우리 모두가 같은 목표를 가지고 있다는 것이 든든하게 느껴졌다. 각자의 꿈과 목표를 이야기하면서, 서로에게 동기부여가 되었다.

그 다음에는 도서관을 탐방했다. 법학과 전용 서적들이 빼곡히 진열된 서가를 보며, 앞으로 이곳에서 많은 시간을 보내게 될 것임을 직감했다. 책을 펼쳐 읽다 보니 시간이 금방 흘러갔다. 새로운 지식에 대한 갈망이 생겨났다. 저녁에는 기숙사로 돌아와 방을 정리하고 내일 수업 준비를 했다. 룸메이트와 이런저런 이야기를 나누며 서로를 알아가는 시간도 가졌다. 그는 정치학과 학생이었고, 법률과 정치가 어떻게 맞물리는지에 대한 흥미로운 대화를 나누었다.

오늘 하루가 너무나도 빨리 지나갔다. 새로운 환경에서의 첫 날은 나에게 큰 의미가 있었다. 앞으로 펼쳐질 대학 생활과 법학 공부에 대한 기대감으로 가슴이 벅차올랐다.

2029년 5월 15일

오늘은 1학년 마지막 시험을 마친 날이다. 한 학년이 이렇게 빨리 지나가다니 믿기지 않는다. 처음 대학에 입학했을 때의 긴장과 설렘이 아직도 생생한데, 이제는 법학 공부에 조금씩 익숙해진 나를 발견한다.

시험을 마치고 친구들과 함께 캠퍼스 근처 카페에 모였다. 다들 피곤한 얼굴이었지만, 시험이 끝났다는 해방감에 웃음이 떠나지 않았다. 오늘의 주제는 단연 '시험이 어땠는지'였다. 어떤 문제는 쉬웠다, 어떤 문제는 어려웠다며 서로의 경험을 공유하는데, 다들 열심히 준비한 것이 느껴졌다. 시험 준비로 힘들었지만, 친구들과 함께 해서 버틸 수 있었다. 우리가 함께 겪은 이 시간이 훗날 큰 추억이 될 것 같다.

오후에는 모의재판 동아리 활동이 있었다. 이번 학기에 동아리 활동을 통해 많은 것을 배웠다. 실제 사건을 분석하고, 역할을 나누어 변론 연습을 하면서 법조인의 삶을 간접적으로 체험할 수 있었다. 오늘은 한 학기를 마무리하며 모의재판 경연대회를 개최했다. 나는 검사 역할을 맡아 사건을 분석하고 증거를 제시하는 역할을 했다. 떨렸지만, 그동안 연습한 것을 바탕으로 최선을 다했다. 결과는 우리 팀의 승리였다. 동아리 친구들과 함께 기뻐하며, 더 나은 변호사가 되기 위한 동기부여를 얻었다.

저녁에는 기숙사에서 룸메이트와 함께 간단히 저녁을 먹고, 서로의 학기말 소감을 나누었다. 그는 정치학과 전공으로 이번 학기에 정치 이론과 국제 관계에 대해 배웠다고 한다. 서로의 학문을 비교해가며 이야기를 나누는 것이 참 재미있었다. 법학과 정치학이 밀접하게 연결되어 있다는 것을 느꼈고, 앞으로도 그의 의견을 많이 물어봐야겠다.

 잠자리에 들기 전, 이번 학기를 돌아보며 일기를 쓴다. 처음에는 모든 것이 낯설고 어려웠지만, 꾸준히 노력하며 조금씩 성장해온 나 자신이 자랑스럽다. 이제 방학이 시작되니, 그동안 계획했던 로펌 인턴십을 준비해야겠다. 실제 법조 현장에서의 경험이 나를 한층 더 성장시켜줄 것이라고 믿는다.

2030년 11월 10일

벌써 2학년의 마지막 학기가 중반을 넘어가고 있다. 오늘은 형법 수업이 있는 날이라 아침부터 서둘러 준비를 마치고 강의실로 향했다. 형법은 정말 흥미로운 과목이다. 이번 주 강의 주제는 범죄의 구성 요건과 정당방위였다. 교수님이 사례를 통해 설명해 주시니 이해가 훨씬 쉬웠다. 수업 중간에는 학생들끼리 토론을 하는 시간이 있었는데, 다양한 의견이 나와서 생각의 폭이 넓어졌다. 형사 사건을 분석하고 논리적으로 판단하는 과정이 매우 재미있다.

도서관에 가서 형법 관련 자료를 더 찾아봤다. 교수님이 추천해 주신 책을 읽으며 사건 사례를 깊이 있게 공부했다. 최근 관심을 가지게 된 주제는 청소년 범죄와 형법 적용 문제다. 이와 관련된 논문을 읽다 보니, 법의 한계와 개선 방안에 대해 생각해보게 되었다. 앞으로 이 주제를 더 깊이 연구해 보고 싶다는 생각이 들었다. 저녁에는 모의재판 동아리 모임이 있었다. 이번 학기에 우리가 다루는 사건은 매우 복잡하고 흥미로운 사례다. 오늘은 사건의 증거를 분석하고, 변호 측과 검사 측의 전략을 논의했다. 나는 변호 측의 팀장으로서 사건의 주요 쟁점을 정리하고, 팀원들과 함께 변론 준비를 했다.

모의재판을 통해 실제 법정에서의 상황을 체험할 수 있어서 정말 많은 도움이 된다. 동아리 활동을 하면서 논리적으로 생각하고, 팀원들과 협력하는 방법을 배웠다. 오늘 모임에서는 인턴십에 대한 이야기도 나왔다. 방학 동안 로펌에서 인턴십을 할 계획이었는데, 동아리 선배가 자신이 근무하는 로펌을 추천해 줬다. 선배의 조언을 들으니 로펌 인턴십이 더 기대된다. 실제 사건을 다루며 경험을 쌓는 것이 나에게 큰 도움이 될 것이다.

2학년이 끝나가면서 점점 더 많은 것을 배우고 있다. 형법이 나에게 잘 맞는다는 것을 깨달았고, 앞으로 이 분야에서 더 깊이 연구하고 싶다는 목표도 생겼다. 로펌 인턴십을 통해 실제 경험을 쌓고, 내가 배운 이론을 현장에서 적용해보고 싶다.

2031년 7월 30일

오늘은 로펌에서의 첫 인턴십을 마친 날이다. 두 달간의 짧은 시간이었지만, 정말 많은 것을 배우고 경험한 시간이었다. 아침 일찍 로펌에 도착해 마지막 업무를 마무리했다. 로펌의 변호사님들, 사무직 직원들 모두 나를 따뜻하게 대해주셨고, 그들의 업무 방식을 보며 많은 것을 느꼈다. 인턴십 동안 가장 인상 깊었던 것은 법원에 가서 실제 재판을 방청한 일이었다. 처음 법정에 들어섰을 때의 그 긴장감과 설렘은 아직도 잊을 수 없다. 변호사님께서 실제 사건을 어떻게 변론하는지, 증거를 어떻게 다루는지 직접 볼 수 있어서 정말 좋았다. 재판 후 변호사님과 함께 사건에 대해 토론하며, 그들의 사고방식을 배울 수 있었다.

오늘은 마지막 날이라 변호사님께서 점심을 사 주셨다. 인턴십을 하면서 궁금했던 점들을 질문했고, 변호사님께서도 자신의 경험과 조언을 아낌없이 나눠주셨다. 특히 인상 깊었던 것은, 변호사로서 가져야할 윤리와 책임감에 대한 이야기였다. 법률 지식도 중요하지만, 의뢰인의 권리를 지키고 정의를 실현하는 것이 변호사의 가장 중요한 역할임을 다시 한 번 깨달았다.

오후에는 인턴십 평가와 함께 마지막 업무를 마무리했다. 서류 정리와 보고서를 제출하며, 그동안 배운 것을 되짚어보는 시간을 가졌다. 처음에는 서류 작업이 낯설고 어려웠지만, 시간이 지날수록 익숙해졌다. 특히 사건 파일을 정리하고, 법률 문서를 작성하는 과정에서 많은 것을 배웠다. 마지막으로 변호사님께서 인턴십 수료증을 주시며, 앞으로도 계속 노력하라는 격려의 말씀을 해주셨다.

집으로 돌아오는 길, 이번 인턴십이 나에게 얼마나 큰 도움이 되었는지 생각해봤다. 학교에서 배운 이론을 실제 현장에서 적용해보는 경험은 정말 소중했다. 로펌의 일상적인 업무와 법정에서의 실무를 직접 체험하면서, 내가 어떤 방향으로 나아가야 할지 더 명확해졌다. 저녁에는 가족과 함께 인턴십 수료를 축하하는 저녁 식사를 했다. 가족들은 내가 변호사의 꿈을 향해 한 걸음 더 나아갔다며 축하해줬다.

오늘은 법률 지식 뿐만 아니라, 변호사로서의 태도와 책임감을 배운 소중한 시간이었다. 앞으로도 계속해서 다양한 경험을 쌓고, 더 나은 변호사가 되기 위해 노력할 것이다.

2032년 12월 1일

드디어 4학년 마지막 학기가 끝나가고 있다. 졸업이 얼마 남지 않았다는 생각에 설레기도 하고 약간 두렵기도 하다. 오늘은 졸업 논문을 마무리하는 날이었다. 아침 일찍 도서관에 가서 마지막 수정 작업을 했다. 주제는 "청소년 범죄와 형법 적용 문제"로, 지난 몇 년 동안 관심을 갖고 연구해온 주제다. 많은 자료를 찾아보고 여러 사례를 분석하면서 나름대로의 결론을 도출해냈다.

오후에는 지도 교수님과 마지막 논문 지도를 받았다. 교수님께서는 논문을 꼼꼼히 읽어주시고, 몇 가지 수정 사항과 피드백을 주셨다. 교수님과의 면담을 통해 내가 놓친 부분을 보완할 수 있었고, 논문의 완성도를 높일 수 있었다. 교수님께서는 내가 졸업 후 로스쿨에 진학하는 것을 응원해주셨고, 앞으로의 진로에 대해서도 많은 조언을 해주셨다.

논문 지도를 마친 후, 학과 동기들과 함께 캠퍼스 카페에 모였다. 모두들 졸업을 앞두고 있다는 사실에 들떠 있었다. 각자의 졸업 논문 주제와 앞으로의 계획에 대해 이야기하며, 서로에게 응원의 말을 건넸다. 나와 친한 친구들은 대부분 로스쿨에 진학할 계획이라, 앞으로도 계속 함께 공부할 수 있을 것 같아 다행이다.

저녁에는 졸업을 앞둔 기념으로 동기들과 저녁 식사를 했다. 다들 학부 생활 동안 쌓은 추억을 되새기며, 웃음과 눈물이 뒤섞인 시간을 보냈다. 첫 수업을 들을 때의 긴장감, 중간고사와 기말고사 준비로 밤을 새우던 기억, 그리고 모의재판 동아리 활동을 하면서 함께 고생한 시간들이 주마등처럼 스쳐 지나갔다.

기숙사로 돌아와, 졸업 논문 파일을 최종 제출하고 나니 마음이 한결 가벼워졌다. 방에 앉아 이번 학기를 돌아보니, 정말 많은 일이 있었다. 학문적으로도, 개인적으로도 큰 성장을 이뤘다고 느낀다. 졸업 후 로스쿨에 진학해서 더 심도 깊은 법률 공부를 할 생각에 가슴이 뛴다.

오늘 일기를 쓰며, 앞으로의 계획을 정리해본다. 졸업 후 잠시 휴식을 취한 뒤, 바로 로스쿨 입학 준비를 시작할 것이다. 로스쿨에서는 더 전문적인 법률 교육을 받으며, 내가 꿈꾸는 변호사의 길로 나아가기 위한 준비를 할 것이다. 앞으로의 길이 험난하겠지만, 지금까지 해왔던 것처럼 꾸준히 노력하며 나아갈 것이다.

오늘 하루, 그리고 지난 4년 간의 대학 생활이 정말 값진 시간이었다.

2033년 9월 3일

로스쿨 첫 날. 대학 시절의 익숙한 캠퍼스를 떠나 새로운 환경에 발을 들이는 순간, 긴장과 설렘이 교차했다. 로스쿨 캠퍼스는 처음 방문했을 때보다 더 넓고, 이곳에서의 삶이 어떤 모습일지 상상하며 두근거리는 마음을 안고 강의실로 향했다.

첫 번째 수업은 법학 기초 세미나였다. 교수님은 유명한 법조인 출신으로, 수업 시작 전부터 강의실이 학생들로 꽉 차 있었다. 교수님은 학생들을 둘러보며 간단한 자기소개를 시켰고, 앞으로의 학업이 얼마나 도전적일지 설명해 주셨다. 수업이 시작되자마자 교수님은 케이스 스터디(case study) 하나를 던져주며 학생들의 의견을 물으셨다. 나 역시 처음으로 내 의견을 발표했는데, 교수님께서 긍정적인 피드백을 주셔서 자신감을 얻었다.

점심시간에는 동기들과 함께 학교 식당에서 식사를 했다. 각자 다양한 배경을 가진 사람들이 모여 있어서 이야기하는 내내 흥미로웠다. 전직 기자, 경제학 전공자, 심지어는 엔지니어 출신까지 다양한 분야에서 온 사람들이 법률을 공부하려는 이유를 들으니, 법학이 얼마나 다양한 사람들에게 매력적인 학문인 지 새삼 깨달았다.

도서관에 가서 필요한 교재와 자료를 찾았다. 도서관은 매우 크고 현대적인 시설로 가득 차있었다. 특히 법학 관련 서적들이 많이 구비 되어 있어서, 앞으로의 공부가 기대되었다. 도서관에서 나는 비슷한 관심사를 가진 몇 명의 동기들과 만나게 되었다. 우리는 함께 스터디 그룹을 결성하기로 하고, 주기적으로 모여 서로의 학습을 도울 계획을 세웠다.

 로스쿨의 첫 날이라 그런지, 하루 종일 긴장했던 마음이 아직도 가라앉지 않았다. 하지만 그만큼 새로운 도전에 대한 기대감도 컸다. 앞으로 배우게 될 법률 지식과 실무 경험을 통해, 내가 꿈꾸는 변호사의 길에 한 걸음 더 다가가게 될 것이다.

2034년 6월 24일

로스쿨 2년 차도 어느덧 끝나가고 있다. 이번 학기는 특히 바빴다. 형사소송법과 관련된 심화 과정을 듣고, 모의 재판 경연 대회 준비로 정신없이 보냈다. 오늘은 그동안의 노력이 결실을 맺은 날이다.

아침 일찍 일어나 준비를 마치고, 경연 대회가 열리는 강당으로 향했다. 우리 팀은 형사 사건을 맡아 변론을 준비해왔다. 사건의 사실 관계를 분석하고, 법률적인 쟁점을 찾아내 변호 전략을 세우는 과정은 쉽지 않았지만, 팀원들과 함께 밤낮없이 노력한 끝에 오늘의 대회를 준비할 수 있었다. 대회가 시작되자 긴장감이 감돌았다.

우리는 배심원과 판사 앞에서 사건을 변론했다. 내가 맡은 역할은 주 변호사로, 사건의 주요 쟁점에 대해 변론하고 증거를 제시하는 일이었다. 많은 사람들이 지켜보는 가운데 발표하는 것이 긴장 됐지만, 그동안의 연습과 준비가 헛되지 않았음을 느꼈다. 상대 팀의 반박에도 침착하게 대응하며, 우리의 주장을 논리적으로 펼칠 수 있었다.

경연 대회가 끝나고, 결과 발표가 있었다. 우리 팀이 우승을 차지했다는 소식을 들었을 때의 기쁨은 이루 말할 수 없었다.

이 모든 과정이 나에게 큰 성취감을 안겨주었고, 내가 선택한 길이 맞다는 확신을 주었다. 교수님께서도 축하해주시며, 앞으로의 진로에 대해 많은 조언을 해주셨다.

팀원들과 함께 축하 파티를 했다. 다들 고생한 만큼 오늘 하루는 마음껏 즐기기로 했다. 그동안의 고생과 노력이 헛되지 않았음을 느끼며, 서로를 격려하고 감사의 인사를 나눴다. 이번 경연 대회를 통해 얻은 것은 단순한 우승이 아니라, 팀워크의 중요성과 법률 지식의 실질적인 적용이었다. 우리는 각자의 역할을 충실히 해내며, 서로의 강점을 최대한 활용했다.
이번 학기를 통해 나는 많은 것을 배웠다. 법률 지식을 쌓는 것도 중요하지만, 그것을 어떻게 실제 상황에 적용하는 지가 더 중요하다는 것을 깨달았다. 모의재판 준비를 통해 논리적으로 사고하고, 증거를 분석하며, 상대방의 주장을 반박하는 법을 배웠다.

이제 곧 방학이 시작된다. 방학 동안에는 변호사 시험 준비를 본격적으로 시작할 계획이다. 로스쿨 3년 차가 끝나면 변호사 시험을 치르게 되니, 앞으로 남은 시간 동안 최선을 다해 준비해야겠다.

오늘은 로스쿨 마지막 학기의 중반을 넘기며, 변호사 시험 준비가 본격적으로 시작된 날이다. 아침부터 도서관으로 향해 하루 종일 공부에 매진했다. 이제 변호사 시험이 몇 달 남지 않았다는 생각에 긴장감이 더욱 커졌다.

 오늘은 특히 민사소송법과 관련된 기출 문제를 풀어보았다. 문제를 풀면서 그동안 배운 내용을 정리하고, 이해가 부족한 부분을 다시 한 번 복습했다. 민사소송법은 다양한 절차와 규칙이 있어서 어려운 부분이 많지만, 차근차근 공부하다 보니 조금씩 이해가 깊어졌다. 교수님께서 강조하신 중요 포인트를 되새기며, 문제 해결 능력을 키워나갔다.

 점심시간에는 친구들과 함께 간단히 식사를 했다. 모두들 시험 준비로 바쁜 시간을 보내고 있지만, 서로에게 힘이 되어주는 시간이었다. 각자 공부하는 방법과 전략을 공유하며, 서로에게 조언을 주고받았다. 내가 놓친 부분을 친구들이 짚어주고, 그들의 경험에서 많은 것을 배울 수 있었다. 이렇게 함께 공부하는 동료들이 있어서 참 다행이라는 생각이 들었다.

 교수님과의 면담 시간에는 변호사 시험과 관련된 조언을 듣고, 나의 공부 계획에 대해 상담했다.

교수님께서는 시험에서 자주 출제되는 유형과 그에 대한 대처 방법을 자세히 설명해주셨다. 특히, 시간 관리의 중요성을 강조하시며, 모의고사를 통해 실전 감각을 키우는 것이 중요하다고 하셨다. 교수님의 조언을 듣고 나니, 앞으로의 공부 계획을 좀 더 체계적으로 세울 수 있을 것 같다.

　저녁에는 도서관에서 이어서 공부를 했다. 이번에는 형법과 관련된 판례를 정리하고, 주요 사건들을 다시 한 번 복습했다. 판례 공부는 법률 적용의 실제 사례를 이해하는 데 큰 도움이 된다. 판례를 통해 법의 해석과 적용 방법을 배우면서, 실제 상황에서 어떻게 법이 작용하는지 구체적으로 이해할 수 있었다. 변호사 시험이 가까워질수록 마음이 무거워지지만, 그만큼 열심히 준비해야겠다는 다짐도 강해진다. 오늘의 공부가 쌓여서 내일의 결과로 이어질 것이라는 믿음을 가지고, 하루하루 최선을 다하고 있다.

　시험 준비는 힘들지만, 나의 꿈을 이루기 위한 과정임을 잊지 말아야겠다. 변호사가 되어 많은 사람들을 돕고, 정의를 실현하는 일을 할 수 있다는 생각에 힘이 난다.

2035년 10월 15일

오늘은 변호사 시험의 마지막 날이었다. 지난 몇 달간의 긴장과 압박 속에서 열심히 준비한 만큼, 시험이 끝나고 나니 마음이 한결 가벼워졌다. 아침 일찍 시험장으로 향하면서 느꼈던 그 긴장감이 이제는 해방감으로 바뀌었다.

시험장은 조용하고 엄숙한 분위기였다. 마지막 과목인 형사법을 치르기 전, 마음을 가다듬고 집중하려 노력했다. 문제지를 받아 들고 첫 번째 문제를 읽기 시작했을 때, 그동안의 공부가 머릿속에서 하나둘 씩 떠올랐다. 차분하게 문제를 풀어나가면서 최선을 다했다.

특히 형사법은 내가 관심을 가지고 깊이 공부한 분야라, 자신감을 가지고 답안을 작성할 수 있었다. 시험이 끝나고, 동기들과 함께 시험장 밖에서 만났다. 다들 긴장된 얼굴로 시험에 대한 이야기를 나눴지만, 이제는 끝났다는 안도감에 웃음도 섞여 있었다. 서로의 수고를 격려하며, 그동안의 노력이 헛되지 않기를 바랐다.

집으로 돌아와 오늘 하루를 돌아보며 일기를 쓴다. 변호사 시험 준비 과정은 정말 힘들고 고된 시간이었다. 수많은 밤을 새우며 공부하고, 어려운 문제를 풀어내기 위해 노력한 순간들이 떠오른다. 하지만 그 모든 과정이 나를 한층 더 성장 시켰고, 이제는 변호사로서의 첫 발걸음을 내딛을 준비가 되었다는 생각이 든다.

 이제 시험이 끝났으니, 잠시 휴식을 취할 것이다. 오랜만에 친구들을 만나고, 여행을 가서 재충전 시간을 가지려 한다. 그리고 결과 발표를 기다리며, 앞으로의 계획을 세울 것이다.

2036년 2월 1일

변호사 시험의 결과 발표일이다. 오늘 아침, 긴장된 마음으로 결과를 확인하기 위해 컴퓨터 앞에 앉았다. 결과 확인 페이지가 열리면서, 나의 이름과 시험 결과를 찾는 순간이 정말로 가슴이 뛰었다. 화면에 '합격'이라는 문구를 보고 나서야 비로소 숨을 쉴 수 있었다. 그동안의 긴장과 스트레스가 한꺼번에 풀리는 순간이었다.

아침에 결과를 확인한 후, 가족과 친구들에게 연락해 좋은 소식을 전했다. 부모님은 기뻐하시며 축하해 주셨고, 친구들도 나의 합격 소식을 듣고 함께 기뻐해주었다. 모두들 내가 변호사가 되기까지 많은 노력 했다는 것을 알고 있어서, 그 기쁨이 더욱 컸던 것 같다.

변호사 자격증을 받기 위해 필요한 서류를 준비하고, 관련 기관에 방문해 절차를 밟았다. 이 모든 과정이 실제로 이루어지면서, 내가 법조인이 되기 위한 마지막 단계에 접어들었다는 실감이 들었다. 서류를 제출하고 나서, 이 순간을 맞이한 기분을 잠시 되새겼다. 이제는 법조인으로서의 첫 걸음을 내딛을 준비가 끝났다는 사실이 뿌듯하게 느껴진다.

변호사 시험의 결과가 나왔다는 사실에 여전히 실감이 나지 않는다.

그동안의 수많은 밤과 공부의 시간이 모두 의미 있는 것 같아 정말 행복하다. 이제는 본격적으로 법조인으로서의 경로를 시작할 것이다. 앞으로는 로펌에서 연수와 실무 경험을 쌓아가며, 전문적인 법률가로 성장해 나가야 한다.

변호사로서의 첫 발걸음을 내딛는 이 순간이, 앞으로의 모든 도전의 시작이라는 것을 명심하며, 그동안의 경험과 배움을 바탕으로 나아가야겠다.

2036년 5월 10일

오늘은 로펌에서 첫 번째 연수 일정을 마친 날이다. 이틀간의 오리엔테이션을 거쳐 본격적인 실무에 들어가는 만큼, 오늘은 특히 의미 있는 하루였다. 새로운 동료들과의 첫 만남, 그리고 다양한 업무에 대한 설명을 들으며 기대와 긴장이 교차했다.

아침 일찍 출근하여, 로펌의 기본적인 규칙과 업무 절차에 대한 교육을 받았다. 로펌의 규모가 크고, 다루는 사건의 종류도 다양한 만큼, 처음에는 복잡하게 느껴졌다. 그러나 선배 변호사들이 친절하게 설명해 주었고, 실무에 필요한 기본적인 프로세스를 이해하는 데 큰 도움이 되었다.

오후에는 실제 사건 파일을 받으며, 간단한 리서치와 서류 작업을 맡았다. 법률 문서 작성과 관련된 기본적인 업무를 하면서, 학교에서 배운 이론이 실제로 어떻게 적용되는 지를 직접 체험할 수 있었다. 각 사건의 세부 사항을 분석하고, 필요한 서류를 준비하는 과정이 생각보다 세심하게 진행되어야 한다는 것을 느꼈다.

업무 중에는 선배들과 함께 점심을 먹었다. 그동안의 경험을 나누고, 법조계의 현실적인 이야기들을 들으며 많은 것을 배울 수 있었다.

선배 변호사들의 조언을 듣고, 내가 앞으로 어떻게 성장할 수 있을 지에 대한 방향성을 조금씩 잡아가고 있다.

첫날이라 아직 적응하는 데 시간이 필요하지만, 매일매일 배워가는 과정이 기대된다. 오늘은 새로운 시작의 첫걸음을 내딛는 날이었다. 로펌에서의 실무 경험을 쌓아가면서, 법률 지식과 실전 감각을 더욱 익혀나가고자 한다. 앞으로의 일들이 쉽지 않을 것을 알지만, 나는 긍정적인 마음가짐과 열정으로 이 길을 걸어갈 것이다.

2036년 5월 21일

로펌에서의 첫 두 주가 지나고, 오늘은 점점 더 실무에 익숙해져 가는 날이다. 업무에 대한 자신감이 조금씩 생기면서도, 여전히 배울 것이 많다는 것을 느끼고 있다. 변호사님과 함께 고객과의 미팅에 참석했다. 고객의 사건에 대해 논의하며, 필요한 법적 조언과 전략을 세우는 과정은 매우 흥미로웠다. 변호사님께서는 고객의 문제를 깊이 이해하고, 그에 맞는 법률적 접근 방식을 제시하셨다. 나는 이를 옆에서 지켜보며, 법적 분석과 고객과의 소통 방법을 배웠다 이 후에는 사건 관련 서류를 준비하는 업무를 맡았다.

오늘은 특히 복잡한 계약서와 증거 자료를 정리해야 했다. 처음에는 문서의 양이 많아 압도되었지만, 차근 차근 분석해가면서 필요한 정보를 추출하고, 문서를 정리하는 과정에서 많은 것을 배웠다. 문서 작업은 세심함과 정확성이 중요한 만큼, 신중하게 진행하려 노력했다.

로펌의 동료들과 함께 간단한 회식을 했다. 동료들과의 친목을 도모하고, 업무에 대한 이야기를 나누면서 서로의 경험을 공유하는 좋은 시간이었다. 동료들이 각자의 분야에서 어떻게 성장해왔는지 들으며, 나도 앞으로 어떤 방향으로 나아가야 할 지에 대한 생각을 정리할 수 있었다.

실무에서 직접 업무를 맡고, 고객과의 소통을 경험하면서 내가 배우고 성장하는 모습을 실감할 수 있었다. 아직은 모든 것이 새롭고 때로는 어려운 점도 있지만, 매일매일 조금씩 나아가고 있다는 것을 느낀다.

로펌에서의 일상에 적응해가며, 더욱 전문적인 법률가로 성장하기 위한 발판을 다지고 있다. 앞으로도 끊임없이 배우고, 성실하게 임하며, 고객에게 최선의 서비스를 제공하는 변호사가 되기 위해 노력할 것이다.

2038년 3월 10일

오늘은 변호사로서 일한 지 두 해가 넘은 날이다. 시간이 정말 빠르게 흘러갔고, 그동안 많은 일이 있었다. 오늘은 그간의 성과를 돌아보며 이 일기를 쓴다.

아침에는 중요한 고객 미팅이 있었다. 복잡한 상업 소송 건으로, 고객의 요구와 우려를 충분히 이해하고 그에 대한 법적 대응 전략을 논의했다. 고객과의 상담에서 문제를 명확히 파악하고, 그에 맞는 해결책을 제시할 수 있었던 것이 뿌듯했다. 고객의 신뢰를 얻기 위해서 앞으로도 더욱 신중하고 철저하게 준비해야겠다고 생각했다.

그 다음에는 팀과 함께 최근 진행 중인 사건의 전략 회의를 했다. 다양한 시나리오를 검토하고, 법적 쟁점을 분석하며 다음 단계를 계획했다. 팀원들과의 협업을 통해 사건을 더 잘 이해하고, 효과적인 대응 방안을 모색할 수 있었다. 서로의 의견을 조율하며 최선의 전략을 세우는 과정에서 많은 것을 배웠다. 변호사 협회에서 주최하는 세미나에 참석했다. 이번 세미나는 최신 법률 트렌드와 판례를 다루는 내용이었고, 관련 분야의 전문가들이 발표했다. 새로운 정보와 동향을 직접 들으며, 내 업무에 어떻게 적용할 수 있을지 고민해보았다.

세미나를 통해 지식의 폭을 넓히고, 더 나은 변호사가 되기 위한 영감을 얻을 수 있었다.

오늘 하루를 돌아보며, 나는 많은 것을 성취했지만 여전히 배울 것이 많다는 것을 느꼈다. 변호사로서의 길은 쉽지 않지만, 매일매일 새로운 도전에 직면하며 성장해 나가고 있다. 특히, 고객을 돕고 문제를 해결하는 과정에서 보람을 느끼는 것이 큰 힘이 된다. 변호사로서의 경력은 이제 막 시작되었지만, 앞으로도 계속해서 발전하고 나아가리라 결심한다. 오늘의 경험을 바탕으로 더욱 전문적이고 신뢰받는 법조인이 되기 위해 노력할 것이다. 변호사로서의 여정이 험난할지라도, 나의 목표를 향해 한 걸음씩 나아가며 최선을 다할 것이다.

오늘 하루가 많은 것을 시사하며, 앞으로의 도전을 준비하는 좋은 기회가 되었다. 변호사로서의 역할에 책임감을 느끼며, 내일도 열심히 일할 것이다.

2038년 5월 1일

 오늘은 변리사 자격증 취득을 위해 첫 발걸음을 내딛는 날이다. 변호사로서의 경험을 쌓아가는 중에, 특허와 지적 재산권 분야에 대한 깊은 관심이 생겼고, 이를 전문적으로 다루기 위해 변리사 자격증을 취득하기로 결심했다. 아침 일찍 변리사 시험 준비를 시작했다.

 변리사 자격증 시험은 법률과 특허, 상표, 디자인 등 다양한 분야에 대한 깊이 있는 지식을 요구하기 때문에, 공부할 내용이 방대하다. 오늘은 우선 시험 과목 중 하나인 특허법에 대한 기본적인 공부를 시작했다. 변리사 시험의 필기 시험을 대비하기 위해, 관련 교재와 최신 판례를 참고하며 기본 이론을 W정리했다. 오후에는 온라인 강의를 수강했다.

 강의는 특허법의 주요 이론과 실제 사례를 다루었으며, 변리사 시험의 출제 경향을 파악하는 데 도움이 되었다. 강사님께서 실무에서의 적용 사례를 설명해주어, 이론이 실제로 어떻게 활용되는지 이해하는 데 큰 도움이 되었다. 기숙사에서 스터디 그룹과 함께 모의 시험을 진행했다.

2038년 7월 10일

변리사 시험 준비가 본격적으로 진행되고 있는 요즘, 공부의 집중도가 높아졌다. 시험이 다가오면서 매일매일의 학습 계획을 세우고, 주요 과목에 대한 심화 학습을 진행하고 있다. 특히, 상표법과 디자인법은 중요한 과목으로, 관련된 판례와 법규를 꼼꼼히 학습하고 있다. 오늘은 상표법에 대한 심화 공부를 진행했다. 상표의 출원, 심사, 등록 과정에 대한 법률적 이해를 높이기 위해, 관련 교재와 논문을 읽었다.

또한, 최근 판례를 분석하며 최신 동향을 파악하고 있다. 상표법의 복잡한 규정과 실무 적용 사례를 이해하는 데 시간이 걸리지만, 이 과정에서 많은 것을 배우고 있다. 오후에는 변리사 시험 준비를 위한 강의를 수강했다. 강의에서는 상표법과 특허법의 주요 쟁점과 사례를 다루었으며, 실제 시험에서 자주 출제되는 문제 유형을 연습할 수 있었다. 강사님의 자세한 설명과 문제 풀이 방법을 통해, 시험 준비에 대한 자신감을 얻었다.

저녁에는 스터디 그룹과 함께 모의 시험을 진행했다. 각자 준비한 문제를 풀어보고, 해답을 토대로 서로의 이해도를 점검했다. 모의 시험을 통해 시험장에서의 시간 관리와 문제 풀이 전략을 연습하며, 실제 시험 상황을 가늠해 볼 수 있었다.

2038년 10월 1일

 드디어 변리사 시험이 가까워졌다. 오늘은 시험 전 마지막 점검을 위해 전반적인 복습을 진행했다. 시험준비 과정에서 공부한 내용들을 종합적으로 정리하고, 약점을 보강하기 위해 집중적으로 학습했다. 특히, 중요한 법규와 판례를 반복적으로 학습하며 기억을 확실히 하고 있다.

 오전에는 시험 대비를 위한 마지막 모의 시험을 치렀다. 모의 시험의 결과를 분석하며 부족한 부분을 보완하고, 시험 준비를 마무리했다. 시험 준비가 거의 끝나가면서 긴장과 기대감이 교차하는데, 그동안의 노력이 헛되지 않기를 바라는 마음이 크다.

 저녁에는 시험에 대비해 평소와 같이 편안한 마음을 유지하기 위해 가벼운 운동을 했다. 신체적, 정신적 준비가 모두 중요하다는 것을 느끼며, 긴장을 풀고 몸과 마음을 준비했다.

2038년 11월 15일

오늘 변리사 시험의 결과가 발표된다. 아침부터 긴장된 마음으로 결과를 확인하기 위해 기다렸다. '합격'이라는 문구를 보는 순간, 그동안의 노력과 준비가 결실을 맺었다는 기쁨에 휩싸였다. 변리사 자격증을 취득한 것은 나에게 큰 성취감을 안겨주었다.

저녁에는 자격증 취득을 기념하여 작은 파티를 열었다. 변리사 자격증을 취득하는 것은 내 커리어의 새로운 이정표가 되는 만큼, 오늘은 그동안의 노력을 보상받는 기쁜 날이었다.

이제는 변리사로서의 새로운 시작을 준비하며, 이 분야에서도 전문가로서 성장할 수 있도록 최선을 다할 것이다. 변호사와 변리사로서의 경험을 바탕으로 더 넓은 법률 분야에서 활약할 수 있기를 바란다.

저는 진로를 선택한 이후에 삶을 구체적으로 계획하기 위해 미래 일기를 작성해 보았습니다. 자세한 미래 일기를 작성하고 읽어보는 것은 목표를 세우고, 관심 분야나 이루고 싶은 일을 찾고 이루는 것에 큰 도움이 됩니다. 글을 쓰는 것에 부담감을 가지고 있거나, 방법을 모르겠다면, 하고 싶은 일들을 정해 AI에 글을 맡기는 것도 도움이 됩니다. 미래 일기를 쓰는 방법은 다음과 같습니다.

1. 직업이 아니더라도 이루고자 하는 목표를 정합니다.
2. 현재 자신의 나이와 목표를 이루는 나이를 설정합니다.
3. 추가적으로 이루고 싶은 일을 적습니다.
4. 이를 일기 형식으로 적어 줄 것을 요구합니다.

미래 일기를 쓸 때에 AI에게 나의 미래를 설명하면서, 혼자 진로를 결정할 때에 미처 생각지 못한 부분을 고려해 볼 수 있습니다. 꿈을 이루기 위해 해야 하는 일들이나 잘 알지 못했던 활동들에 대해 알 수 있고, 미래의 나는 무엇을 하고 있을지, 어떤 활동을 했을지, 무엇을 이루었을지 등을 고민하게 되어 자신의 꿈을 구체화할 수 있습니다.

오늘날, 변해가는 시대 상황 속에 혼란을 겪고 있는 학생들에게 진로 결정은 어려운 문제입니다. 현대에는 진로를 결정하는 것이 학생들에게 필수적인 문제로 여겨지지 않지만, 원하는 삶을 살기 위해 진로를 결정하는 것은 매우 중요합니다.

 이 글이 구체적인 진로를 결정하기 위해 고민하고 있는 학생들에게 도움이 되었기를 바랍니다.

AI가 생각하는 2040 어떤 진로를 선택해야 하는가

발 행 | 2024년 8월 10일
저 자 | 이한별
펴낸이 | 한건희
펴낸곳 | 주식회사 부크크
출판사등록 | 2014.07.15.(제2014-16호)
주 소 | 서울특별시 금천구 가산디지털1로 119 SK트윈타워
A동 305호
전 화 | 1670-8316
이메일 | info@bookk.co.kr

ISBN | 979-11-419-0027-4